Am I Blue or Am I (

Azul o verde. ¿Cuál soy yo?

Written by/Escrito por Beatrice Zamora
Illustrated by /Ilustrado por Berenice Badillo

Tolteca Press
San Diego, California

Tolteca Educational Consultants, LLC
Tolteca Press, San Diego, CA
info@toltecapress.com
toltecapress@gmail.com
toltecapress.com

First Edition 2021
Library of Congress Catalog Card Number 2021908979
ISBN 978-0-9816950-6-8 (Paperback)
ISBN 978-0-9816950-5-1 (Hardcover)

Printed in the U.S.A.
Translation by Dr. Mario E. Aguilar
Book design by Andrés Ehecatl Aguilar
Editorial support by Rosalía Salinas, Sheryl Sanchez, and Lourdes Sevilla
Text is set in Dante MT Pro

Summary: Experience a young child's identity quest to understand the difference between the *Blue* of the U.S. flag and the *Green* of the Mexican flag. Many children across the nation live in homes where their parents' immigrant status is in flux and their world is filled with doubts and fears. This book reveals the resiliency and the beauty of a bicultural life and a child coming to terms with their rich cultural identity. It focuses on the Mexican immigrant experience—an experience shared by many immigrants across generations.

This book deals with the following topics: identity, resiliency, citizen child, mixed status families, Mexican, Hispanic, Latina/o, Chicana/o, immigrant experience, undocumented immigrant, unauthorized individuals, bilingual, cultural traditions, freedom, race, racism, bicultural, border culture, border politics, and the American experience.

Dedication

This book is dedicated to all the children of the world who have experienced migration, diplacement, or relocation—especially all of the children coming from Latin America to the United States of America who find themselves in unsafe and uncertain circumstances.

Dedicamos este libro a todos los niños del mundo que han experimentado migración, desplazamiento, o mudanza, especialmente a todos los niños que vienen de Latinoamerica a los Estados Unidos Americanos que se encuentran en circumstancias inseguras.

Land acknowledgement

We acknowledge and give thanks to the original peoples, the indigenous nations, of this land that we now call America.

Reconocemos y agradecemos a los pueblos originarios, las naciones indígenas, de esta tierra que hoy en día llamamos America.

Author Notes

The term "American" in the U.S.A. is used to identify a citizen, but the American continent is much larger than the country of the United States of America. For purposes of this book, we use the term "American" as it relates to the U.S. American flag, but the fact is, from the tip of Alaska to the tip of Tierra del Fuego, the land is all one continent of America and we, who reside on this land, are all Americans.

El término estadounidense "American" en los EE. UU. se usa para identificar a un ciudadano, pero el continente americano es mucho más grande que el país de los EE. UU. A efectos de este libro, usamos el término "americano" en lo que se refiere a la bandera estadounidense, pero el hecho es, desde la punta de Alaska hasta la punta de Tierra del Fuego, la tierra es todo un continente de América y nosotros, que radicamos en esta tierra, somos todos americanos.

I am American—red, white, and blue.

Mami and Papi are Mexican—green, white, and red.

Yo soy americano, rojo, blanco, y azul.

Mami y papi son mexicanos, verde, blanco, y rojo.

We are an immigrant family. Mami and Papi came to the United States to build a better life.

They left behind their parents, family, and friends.

Somos una familia de inmigrantes. Mami y papi llegaron a los Estados Unidos para construir una vida mejor.

Dejaron atrás a sus padres, familiares, y amigos.

What's the difference between
blue and green?

Blue is baseball games, hot dogs and
popcorn, and cheering for the home run.

Green is soccer games, burritos and tacos,
and listening for the "goooooal!"

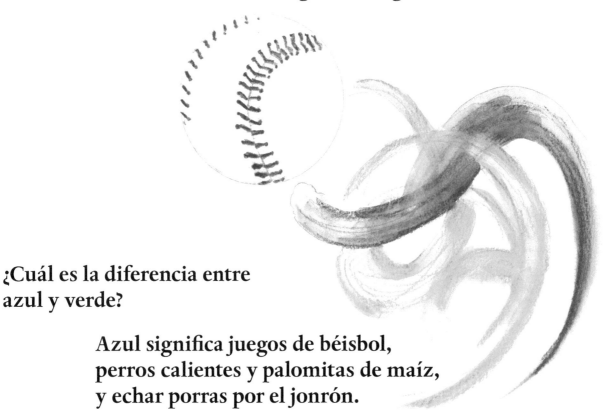

¿Cuál es la diferencia entre
azul y verde?

Azul significa juegos de béisbol,
perros calientes y palomitas de maíz,
y echar porras por el jonrón.

Verde significa partidos de fútbol,
burritos y tacos, y esperando el "¡goooool!"

Blue is Hip Hop and Reggae. Green is Rock en Español.

Azul es hip hop y reggae. Verde es rock en español.

Green means Mami
and Papi work hard
every day.

Verde significa que
mami y papi trabajan
duro todos los días.

12

Blue means I go to school and plan for my future.

Azul significa que voy a la escuela y planeo mi futuro.

13

Blue means I am an American citizen and I belong.

Green means Mami and Papi do not.

Azul significa que soy ciudadano estadounidense y pertenezco.

Verde significa que mami y papi no son

y no pertenecen.

14

Blue is pizza parties
and sleepovers.

Green is birthday
parties with *piñatas*
and family.

Azul significa fiestas
de pizza y pijamadas.

Verde significa fiestas de cumpleaños
con piñatas y la familia.

Green is *Las Posadas* at Christmas and *Los Reyes Magos* with candy-filled shoes.

Blue is Santa Claus, reindeers, and stockings full of treats, too.

Verde significa las Posadas en Navidad y los Reyes Magos con zapatos llenos de dulces.

Azul significa Santa Claus, renos, y también calcetines de navidad llenos de golosinas.

Blue means I speak English and a little Spanish.

Green means Mami and Papi speak Spanish
and just a little English.

Azul significa que hablo inglés y un poco de español.

Verde significa que mami y papi hablan español y
solo un poco de inglés.

Blue means sometimes I feel like I really
don't belong—here or in Mexico!
        Green means Mami and Papi
        live in the shadows.

Azul significa que a veces siento que realmente
no pertenezco, ¡ni aquí, ni en México!
Verde significa que mami y papi
viven en las sombras.

Mami and Papi might be sent to live in Mexico.

Green means they are not safe.

Green means they will feel sick in their tummies
if they have to go away.

Blue means I am sad—I am scared.

Mami y papi podrían ser regresados a vivir a México.

Verde significa que no se sienten seguros.

Verde significa que les dolería el estómago si se tuvieran
que ir.

Azul significa que estoy triste, tengo miedo.

Green means Mami and Papi believe that
God and the Virgin will take care of us.

Blue means I am not so sure.

Verde significa que mami y papi creen que
Dios y la Virgen nos cuidarán.

Azul significa que no estoy tan seguro.

Why does one color mean more
than the other?

¿Por qué es que un color
significa más que el otro?

28

My favorite color is aquamarine—
blue and green all mixed together.

Aquamarine is shimmering oceans with
bright sandy beaches that belong to everyone.

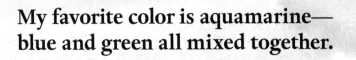

Mi color favorito es el aguamarina,
azul y verde bien mezclados.

La aguamarina es océanos relucientes
con playas de arena brillante
que pertenecen a todos.

Aquamarine is tiny iridescent hummingbirds
flying carefree in the wind.

I am American—red, white, and blue-green.

El color aguamarina es pequeños colibríes
iridiscentes que vuelan despreocupados en el viento.

Soy estadounidense, rojo, blanco y azul verdoso.

I am aquamarine!

¡Soy aguamarina!

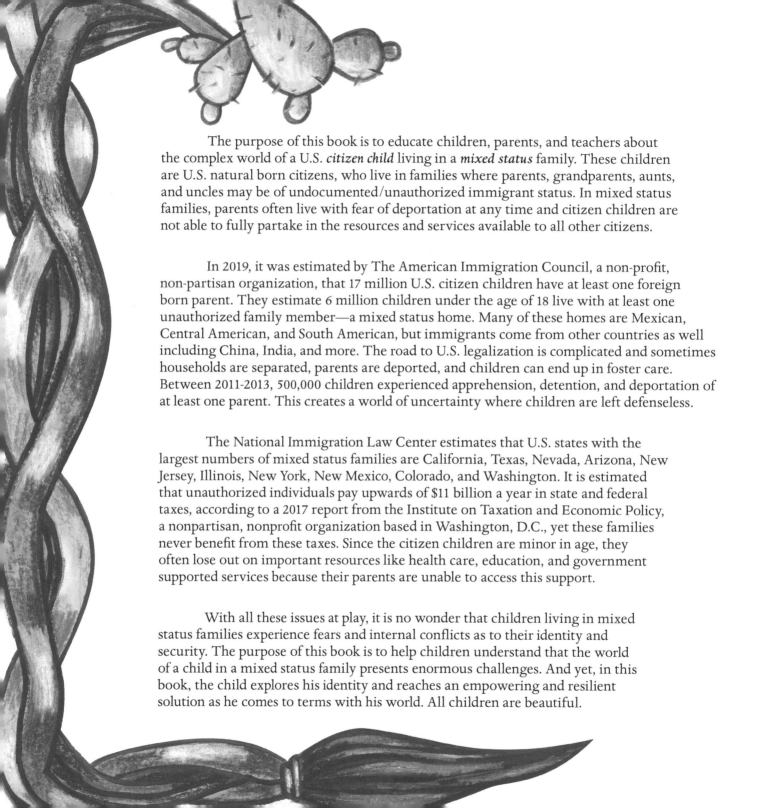

The purpose of this book is to educate children, parents, and teachers about the complex world of a U.S. *citizen child* living in a *mixed status* family. These children are U.S. natural born citizens, who live in families where parents, grandparents, aunts, and uncles may be of undocumented/unauthorized immigrant status. In mixed status families, parents often live with fear of deportation at any time and citizen children are not able to fully partake in the resources and services available to all other citizens.

In 2019, it was estimated by The American Immigration Council, a non-profit, non-partisan organization, that 17 million U.S. citizen children have at least one foreign born parent. They estimate 6 million children under the age of 18 live with at least one unauthorized family member—a mixed status home. Many of these homes are Mexican, Central American, and South American, but immigrants come from other countries as well including China, India, and more. The road to U.S. legalization is complicated and sometimes households are separated, parents are deported, and children can end up in foster care. Between 2011-2013, 500,000 children experienced apprehension, detention, and deportation of at least one parent. This creates a world of uncertainty where children are left defenseless.

The National Immigration Law Center estimates that U.S. states with the largest numbers of mixed status families are California, Texas, Nevada, Arizona, New Jersey, Illinois, New York, New Mexico, Colorado, and Washington. It is estimated that unauthorized individuals pay upwards of $11 billion a year in state and federal taxes, according to a 2017 report from the Institute on Taxation and Economic Policy, a nonpartisan, nonprofit organization based in Washington, D.C., yet these families never benefit from these taxes. Since the citizen children are minor in age, they often lose out on important resources like health care, education, and government supported services because their parents are unable to access this support.

With all these issues at play, it is no wonder that children living in mixed status families experience fears and internal conflicts as to their identity and security. The purpose of this book is to help children understand that the world of a child in a mixed status family presents enormous challenges. And yet, in this book, the child explores his identity and reaches an empowering and resilient solution as he comes to terms with his world. All children are beautiful.

El propósito de este libro es educar a los niños, padres, y maestros sobre el complejo mundo de un niño ciudadano estadounidense que vive en una familia de *estatus mixto*. Estos niños son ciudadanos estadounidenses por nacimiento que viven en familias en las que los padres, abuelos, tías y tíos pueden ser inmigrantes indocumentados o no autorizados. En las familias de estatus mixto, los padres viven diario con el temor de ser deportados en cualquier momento y los hijos ciudadanos no pueden participar plenamente de los recursos y servicios disponibles para todos los demás ciudadanos.

En 2019, *The American Immigration Council*, una organización no partidista y sin fines de lucro, estimó que 17 millones de niños viven con un padre inmigrante. Estiman que 6 millones de niños, de menor edad, viven con un miembro de la familia indocumentado, un hogar de estatus mixto. Muchos de estos hogares son mexicanos, centroamericanos, y sudamericanos, pero los inmigrantes también provienen de otros países, incluidos China, India y más. El camino hacia la legalización de los inmigrantes a los Estados Unidos es complicado y a veces las familias son separadas, los padres son deportados, y los niños pueden terminar en hogares temporales. Durante 2011-2013, 500,000 niños experimentaron la detención y deportación de un padre de familia. Esto crea un mundo de incertidumbre en el que los niños quedan indefensos.

El *National Immigration Law Center* estima que los estados en los EE. UU. con más familias de estatus mixto son California, Texas, Nevada, Arizona, Nueva Jersey, Illinois, Nueva York, Nuevo México, Colorado y Washington. Se estima que las personas no autorizadas pagan más de $11 billones al año en impuestos estatales y federales, según un informe de 2017 del *Institute on Taxation and Economic Policy*, una organización sin fines de lucro no partidista con sede en Washington, DC. Pero, estas familias nunca se benefician de estos impuestos, dado que los niños ciudadanos son menores de edad, a menudo pierden recursos importantes como la atención médica, la educación, y los servicios respaldados por el gobierno porque sus padres no pueden pedir este apoyo.

Con todas estas cuestiones en juego, no es extraño que los niños que viven en familias de estatus mixto sientan miedos y conflictos internos en cuanto a su identidad y seguridad. El propósito de este libro es ayudar a los niños a comprender que el mundo de un niño de una familia de estatus mixto presenta enormes desafíos. Y que, sin embargo, en este libro, el niño explora su identidad y alcanza una solución empoderadora y tenaz a medida que acepta su mundo. Todos los niños son hermosos.

CPSIA information can be obtained
at www.ICGtesting.com
Printed in the USA
LVHW070501150621
690214LV00001B/1